CW00662882

Sept. 1st. 2008

To my dear friends Adrian & Philippa
It is wonderful to be with you again,
celebrating your new home in Sheepscombe.
May this book from my Land ~ islands
inspire you and speed up your

Lofoten

visit to Norway.

With much love from
Ingrid.

1. Raftsundet
2. Trollfjorden
3. Austvågøya
4. Svolvær
5. Vågan
6. Kabelvåg
7. Skrova
8. Henningsvær
9. Borg
10. Vestvågøya
11. Stamsund
12. Leknes
13. Gravdal
14. Mortsund
15. Ballstad
16. Vikten
17. Fredvang
18. Ramberg
19. Nusfjord
20. Sund
21. Moskenesøya
22. Hamnøy
23. Reine
24. Sørvågen
25. Å
26. Lofotodden
27. Moskenstraumen
28. Værøy
29. Røst
30. Skomvær
LOFOTEN
BARENTS SEA
KARA SEA
North Cape
Kara Strait
Cape Kanin Nos
Chesha Bay
WHITE SEA
NORWEGIAN SEA
NORWAY
SWEDEN
FINLAND
RUSSIAN FEDERATION
Gulf of Bothnia
Gulf of Finland
ESTONIA
LATVIA
LITHUANIA
BALTIC SEA
SCOTLAND
NORTH SEA
DENMARK
UNITED KINGDOM
ENGLAND
ULSTER
IRELAND
WALES
CELTIC SEA
English Channel
NETHERLANDS
BEL.
GERMANY
POLAND
BELARUS
UKRAINE
CZECH REPUBLIC
SLOVAKIA
MOLDOVA
FRANCE
SWITZ.
AUSTRIA
SLOVENIA
HUNGARY
ROMANIA
Bay of Biscay
ITALY
CROATIA
BOSNIA & H.
YUGOSLAVIA
BULGARIA
BLACK SEA
GEORGIA
CASPIAN SEA
UZBEKISTAN
TURKMENISTAN
AZERBAIJAN
ARMENIA
TURKEY
KURDISTAN
Iberian Basin
PORTUGAL
SPAIN
MEDITERRANEAN SEA
GREECE
AEGEAN SEA
ALBANIA
FYROM
TUNISIA
MALTA
CYPRUS
LEBANON
SYRIA
IRAQ
IRAN
AFGHANISTA
MOROCCO
GIBRALTAR
CEUTA
MELILLA
Strait of Gibraltar
Gulf of Lions
ADRIATIC SEA

Det bor 24.500 mennesker her, men nær en kvart million turister besøker Lofoten hvert år. Mange kommer igjen år etter år, fanget inn av Lofotens spesielle atmosfære. Det særpregede møter deg overalt, fra Raftsundets fjellrad og Higravtindens mektige spir i nord til Lofotodden i sør og Værøy og Røstlandet langt ute i havet. Steinaldermennesker satte sine spor her 6000 år tilbake i tid. Vikinghøvdinger hadde sine seter her. Sagaen forteller om fiskeeksport fra Lofoten til England allerede i år 875 e. Kr. I uminnelige tider har skreien fra Barentshavet hver vinter søkt til Lofoten for å gyte. I uminnelige tider har fiskere fra hele norskekysten vært med på å høste av Lofotens rikdommer.

Only 24500 people live in Lofoten, but almost a quarter of a million tourists visit the islands every year, many time and time again captivated by the unique atmosphere. Everywhere is special, from Raftsundet's mountain range to Higravtinden's impressive spire in the north, Lofotodden in the south and Værøy and Røstlandet far out to sea. Stone Age people left their mark here 6000 years ago, Viking chiefs ruled and the sagas tell of trading with fish with England as early as 875. The winter cod from the Barent's Sea comes to Lofoten to spawn and fishermen from all along the Norwegian coast have harvested this abundance from time immemorial.

24.500 Menschen leben hier, aber fast ein Viertel Million Touristen besuchen jedes Jahr die Lofoten. Viele kommen jedes Jahr zurück, von der speziellen Atmosphäre der Lofoten fasziniert. Das Eigenartige begegnet einem überall, von der Gebirgskette des Raftsundes und dem mächtigen Gipfel des Higravstinden im Norden, bis zur Landspitze der Lofoten im Süden und Værøy und dem Røstland weit draußen im Meer. Der Steinzeitmensch hat hier seine Spuren vor 6.000 Jahren gesetzt. Wikingerhäuptlinge hatten hier ihre Sitze. Die Saga erzählt über Fischexport von Lofoten bis England schon im Jahr 875 n.Chr. Seit undenklichen Zeiten kommt jeden Winter der norwegisch-arktische Dorsch von dem Barentsmeer zum Laichen in den Lofoten. Fischer von der ganzen norwegischen Küste haben seit Jahren daran teilgenommen, die Reichtümer der Lofoten zu ernten.

Il n'y a que 24500 habitants dans les Iles Lofoten, mais presque un quart de million de touristes visitent les îles chaque année. Certains d'entre eux reviennent année après année, captivés par l'atmosphère unique de l'archipel. Partout on y rencontre l'inattendu : de la chaîne de montagnes du Raftsund et des pointes impressionnantes du Higravtinden au nord, jusqu'à la pointe sud des Lofoten et des îles de Røst et Værøy au large de la mer. Les peuples de l'âge de la pierre y ont laissé leurs traces il y a déjà 6000 ans. Les chefs Viking ont raigné sur les îles et la saga nous raconte l'histoire de l'export du poisson sec en Angleterre déjà en l'an 875. Depuis des milliers d'années, la morue de la mer de Barent vient frayer dans l'archipel chaque hiver. Les pêcheurs norvégiens se donnent rendez-vous aux Lofoten depuis toujours pour receuillir les richesses de la nature.

BRUSE
LYNGØYSKJÆR
N 218 L
N-120-H
SVEIN

Lofotfisket er ikke lenger hva det var, den gang 38.000 fiskere satte hverandre stevne her i en hektisk vintersesong. Men fortsatt er fiskeriene selve bærebjelken for Lofoten, med en oppdrettsnæring i vekst. Fortsatt er Lofoten preget av sin historie. Du møter den i hvert fiskevær, i røde sjøhus og gule brygger, i museer hvor fortiden tas vare på. Men du finner også et øyrike bundet sammen av bruer og tunneler, med et vel utviklet næringsliv, og med et jevnt dryss av verksteder og gallerier hvor samtidskunst skapes og presenteres. Alltid noe å se, alltid noe å oppleve, som bare kan ses og oppleves her. En spesiell natur, en spesiell flora og fauna. Slik er Lofoten, en nasjonal og internasjonal møteplass uten like i Norges land og rike.

Those times are gone when 38000 fishermen met for a hectic winter fishing season, but the fishing industry is still important as fish farming is expanding. Lofoten's history is seen in every village, with red fishermen's cottages, yellow quays and museums which celebrate the past. But you can also discover an island kingdom bound together by bridges and tunnels, with a well-developed business life and workshops and galleries where art is created and displayed. There is always something that is only found in Lofoten to see and experience. A unique landscape, flora and fauna make the islands a national and international holiday goal.

Der Kabeljaufang ist heute nicht wie früher, damals als 38.000 Fischer gegen einander in einem hektischen Winterhalbjahr konkurrierten. Aber noch heute sind die Fischereien ganz entscheidend für das Leben auf den Lofoten, mit einer Zuchtsnahrung, die immer größer wird. Noch heute sind die Lofoten von ihrer Geschichte geprägt. Sie stoßen auf die Geschichte in jedem Fischerdorf, in roten Bootshäusern und gelben Anlegestellen und in Museen, wo die Vergangenheit bewahrt wird. Aber Sie finden auch Ortschaften, die durch Tunnels und Brücken verbunden sind. Die Ortschaften haben ein gut entwickeltes Wirtschaftsleben mit vielen Werkstätten und Galerien, wo zeitgenössische Kunst geschafft und präsentiert wird.

La pêche aux Lofoten n'est plus ce qu'elle était dans le passé, quand il y avait 38000 pêcheurs qui se rassemblaient en hiver pour la saison de la pêche. Mais l'industrie du poisson a encore aujourd'hui une grande importance. Entre autres, le nombre des fermes à saumon augmente chaque année. On rencontre l'histoire des Lofoten partour dans les îles : dans chaque village, avec leurs petites cabane de pêcheurs peintes en rouge et leurs abris à bateaux peints en jaune. On revit l'histoire dans les musées où les gens font de leur mieux pour que le passé ne disparaisse pas.
Mais on rencontre aussi un archipel où les îles sont reliées par des ponts et des tunnels, où la vie économique est prospère et où on trouve aussi des ateliers et des galleries d'art répartis un peu partout. Il y a toujours quelque chose à voir, quelque chose à vivre. Quelque chose qu'on ne trouve nulle part ailleurs. Une nature à vous faire perdre le souffle, une lumière magique et des couleurs intenses. C'est ce qui fait revenir les touristes de tous les coins du monde année après année.

Utenfor Svolvær og Kabelvåg ligger øygruppen Skrova med nær 300 innbyggere. Skrova fyr er en viktig veiviser for dem som skal ta seg inn til fiskeværene på Vestvågøy.

The Skrova islands, with their almost 300 inhabitants, lie near to Svolvær and Kabelvåg. Skrova lighthouse is an important landmark for guiding sailors in to the fishing villages on Vestvågøy Island.

Im Seegebiet östlich von Svolvær und Kabelvåg liegt die Inselgruppe Skrova mit fast 300 Einwohnern. Der Leuchtturm von Skrova ist ein entscheidender Wegweiser für alle Boote, die die Fischereidörfer auf Vestvågøy ansteuern wollen.

L'archipel de Skrova, peuplée de 300 âmes environ, se situe près de Svolvær et Kabelvåg. Le phare de Skrova est un guide précieux pour les marins qui souhaitent entrer dans les ports de pêche de l'île de Vestvågøy.

Fiske, fiskeindustri og hvalfangst er livsgrunnlaget på Skrova. Hurtigbåt og ferge gir forbindelse til Lofoten for øvrig, til Ofoten, Hamarøy og Bodø.

Fishing, the fisheries industry and whaling form the basis of Skrova's existence. The Coastal Express and ferries provide a link to the rest of Lofoten, to Ofoten, Hamarøy and Bodø

Fischerei, Fischveredelungsanlagen und Walfang bilden die Existenzgrundlage für die Bewohner von Skrova. Schnellboot und Fähre garantieren die Verbindungen mit anderen Teilen der Lofoten ebenso, wie nach Ofoten, Hamarøy und Bodø.

La pêche, l'industrie des pêcheries et la chasse à la baleine constituent les activités vitales de Skrova. L'express côtier et les ferries assurent les liaisons avec le reste des Lofoten, vers Ofoten, Hamarøy et Bodø.

N-38-V

Oppdrett av laks og ørrret er en næring i vekst, på Skrova som i Lofoten for øvrig.

Salmon and trout farming are a growth industry in Skrova, as in the rest of Lofoten.

Die Aufzucht von Lachs und Seeforelle ist ein Wirtschaftszweig, der noch stets an Bedeutung gewinnt. Das gilt für Skrova genauso wie für den Rest des Lofoten-Archipels.

L'élevage de saumon et de truite est une activité en expansion, à Skrova comme dans le reste des Lofoten.

Skrova har Norges største mottaks- og foredlingsanlegg for hvalkjøtt.

Skrova has Norway's biggest whale-meat receiving and processing plant.

Skrova ist das wichtigste Zentrum Norwegens für die Anlieferung von Walfleisch.

Skrova possède l'infrastructure de réception et de transformation de viande de baleine la plus importante de Norvège.

To mil nordøst for Svolvær, ved innløpet til Raftsundet, ligger Trollfjorden. 2,5 km lang og 100 m bred på det smaleste. I sommersesongen går hurtigrutene inn her og snur innerst inne, hvor fjorden utvider seg til 350 meters bredde.

Twenty kilometres north-east of Svolvær, at the entrance to the Raftsundet Sound, lies the Troll Fjord – 2.5 km long and 100 m wide at its narrowest point. In the summer season, the Coastal Express ships sail in here and turn at the innermost point, where the fjord expands to 350 m in width.

20 km nördlich von Svolvær, am Eingang zum Raftsund, liegt der Trollfjord. Er ist 2,5 km lang und misst an der schmalsten Stelle nur 100 m in der Breite. In der Sommersaison biegen die Hurtigruten-Schiffe in ihn ein. Wenden können sie dann erst ganz hinten im Fjord, der dort immerhin eine Breite von 350 m aufweist.

A 20 km au nord-est de Svolvær, à l'entrée du détroit de Raftsundet, s'étire le Trollfjord sur 2,5 km de long et 100 m de large à son endroit le plus étroit. Pendant la saison estivale, les express côtiers y naviguent et font demi-tour en son cœur, là où le fjord atteint 350 m de large.

Hurtigruteskipet ”Trollfjord” i Trollfjorden. Leia går gjennom det smale Svartsundet. Så åpner Trollfjorden seg til høyre, med et 200 meter bredt innløp.

The Coastal Express ship Trollfjord in the Troll Fjord. The navigation channel goes through the narrow Svartsundet Sound after which the Troll Fjord, with its 200-m-wide entrance, appears on the right.

Das Hurtigrutenschiff „Trolljord“ im Trollfjord. Die Schiffsroute führt durch den schmalen Svartsund. Dann tut sich der Trollfjord nach rechts auf, mit seiner etwa 200 m breiten Einfahrt.

L’express côtier baptisé Trollfjord dans le Trollfjord. Le couloir de navigation traverse l’étroit détroit de Svartsundet. Puis l’entrée du Trollfjord, large de 200 m, apparaît sur la droite.

TROLLFJORD

Lofothavet er ikke bare de profesjonelle fiskeres tumleplass. Hobbyfiskerne har også sin sjanse når det årlige verdensmesterskap i skreifiske avvikles i Svolvær.

The Lofoten Sea is not just the playground of professional fishermen. Amateurs also make use of it when the annual winter-cod-fishing world championships are held in Svolvær.

Die Lofot-See ist nicht nur Arbeitsplatz für die Berufsfischer. Auch Hobbyangler kommen hier zu ihrem Recht, vor allem bei der Weltmeisterschaft im Angeln von „skrei“, dem laichenden Großkabeljau. Sie wird in Svolvær jährlich abgewickelt.

La mer des Lofoten n'est pas seulement le terrain de jeux des pêcheurs professionnels. Les pêcheurs amateurs en profitent aussi, lorsque le championnat du monde annuel de pêche à la morue d'hiver se déroule à Svolvær.

Vågakallen står som et ruvende landemerke for fiskerne på feltet, selv når bare toppen er synlig gjennom snøbygene.

Mount Vågakallen is a towering landmark for the fishermen in the area, even when only the peak is visible through the snow showers.

Der Berg Vågakallen ist ein mächtiges Wahrzeichen für die Seeleute auf den Fischfeldern, auch wenn in den Schneeböen manchmal nur seine Spitze zu sehen ist.

Le mont Vågakallen constitue un point de repère sûr pour les pêcheurs en mer, même lorsque seul le sommet reste visible à travers les chutes de neige.

Mot land for å levere dagens fangst. En sverm av måser følger fartøyet i håp om å få sin lille andel.

Sailing towards land to deliver the day's catch. A flock of seagulls follows the vessel in the hope of getting some food.

Heimwärts nach einem Arbeitstag. Der Fang soll an Land gebracht werden. Ein Schwarm von Möwen folgt dem Fahrzeug und hofft, dass für ihn auch einiges abfällt.

Retour à terre pour débarquer la pêche du jour. Une nuée de mouettes suit le navire dans l'espoir de grappiller de la nourriture.

Det er mange holmer og skjær å holde øye med før fiskerne er trygt i havn med båt og last.

There are many holms and rocks to watch out for before the fishermen are safely in harbour with their boats and cargoes.

Es wimmelt in diesem Seegebiet von Schären und Klippen, so dass die Fischer genau navigieren müssen, wenn sie Boot und Fang sicher in den Hafen bringen wollen.

Les pêcheurs ont beaucoup d'écueils et de récifs à surveiller avant d'amener bateau et cargaison à bon port.

Båter og redskap har forandret seg gjennom lofotfiskets mer enn tusenårige historie. Snurrevadfisket er mer effektivt og bekvemt enn tidligere tiders håndsnøre med en krok i enden.

Boats and tools have changed throughout the more than thousand years that fishing has taken place in Lofoten. Purse-seine fishing is more efficient and comfortable than previous eras' hand-held fishing lines and hooks.

Boote und Fanggeräte haben sich in der über 1000-jährigen Geschichte der Lofotfischerei von Grund auf verändert. Die Ringwade (ringförmiges Treibnetz) ist viel effektiver und bequemer zu handhaben als die Handleinen mit ihren Angelhaken von früher.

Les navires et les outils ont changé au cours de l'histoire de la pêche aux Lofoten, vieille de plus d'un millénaire. La pêche au filet pélagique traînant est plus efficace et confortable que la ligne à main d'autrefois munie d'un hameçon au bout.

BERGS SØNNER A/S

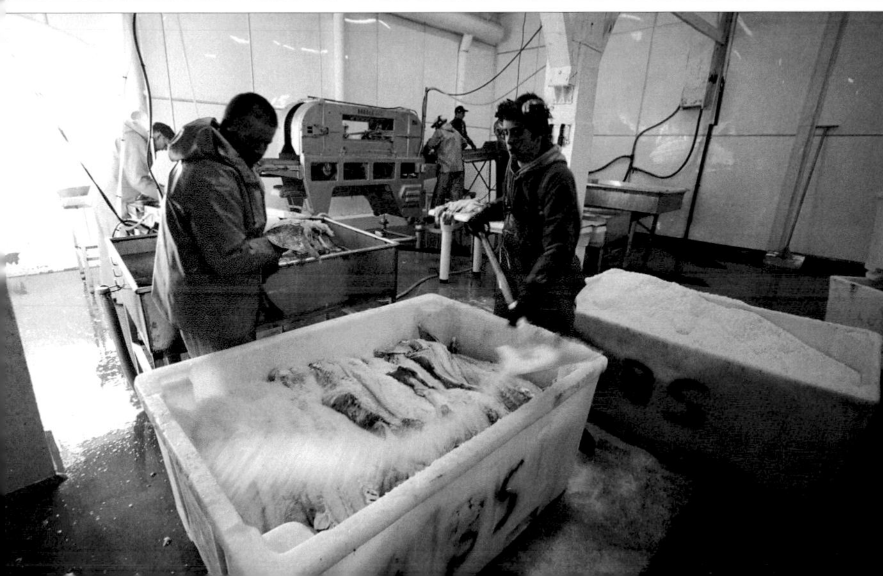

DOVOLD

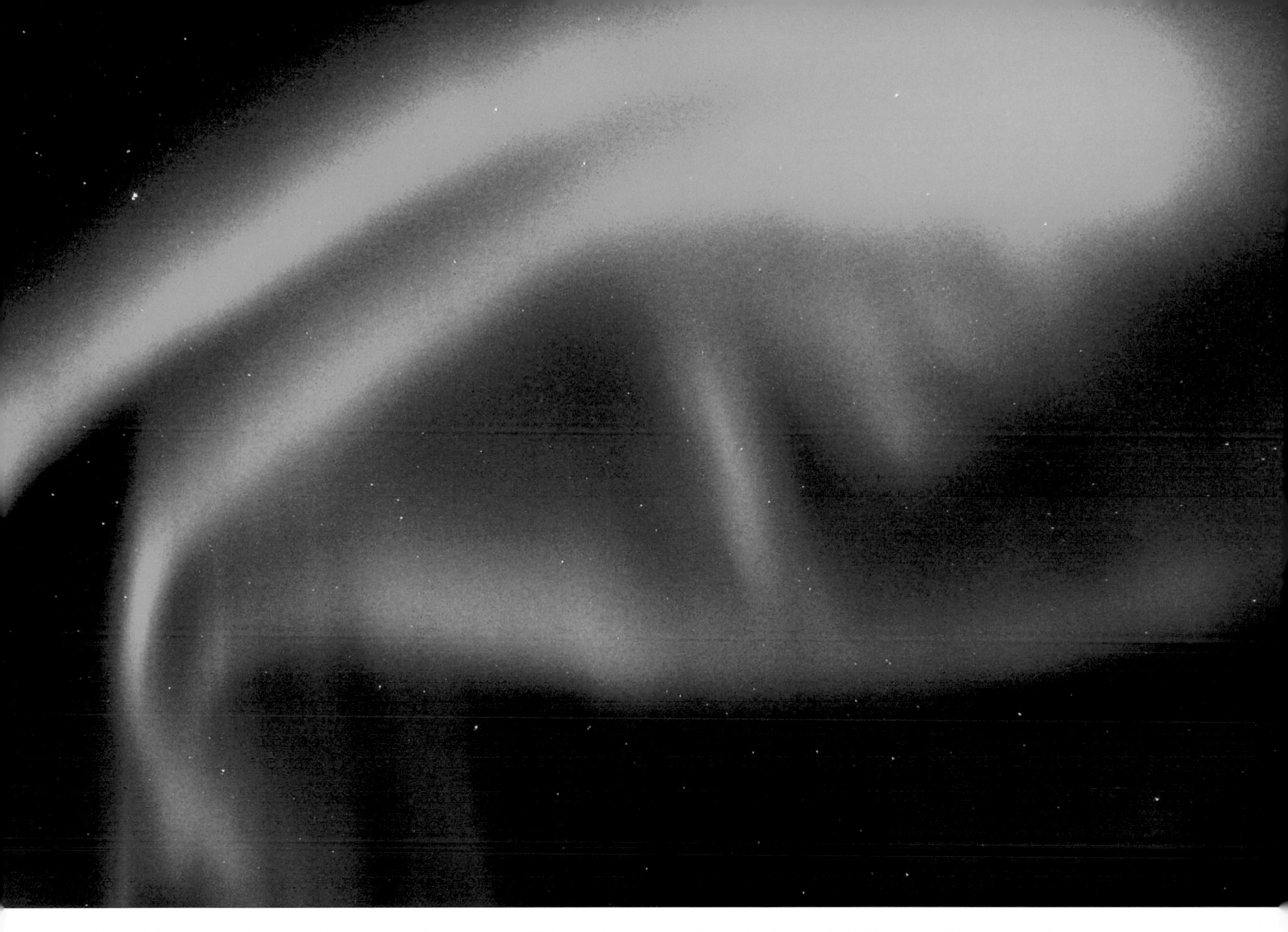

Som et lyshav i høst- og vintermørket legger hurtigruta til kai i Svolvær. Ikke mindre praktfullt er nordlyset som bølger over himmelen.

Like a sea of light in the autumn and winter darkness, the Coastal Express comes alongside the quay in Svolvær. No less magnificent are the Northern Lights that sweep over the sky.

Strahlend erleuchtet legt hier die Hurtigrute im Herbst- und Winterdunkel am Kai von Svolvær an. Und das Polarlicht sendet dazu seine schimmernden Lichtwellen über den Himmel.

Comme un océan de lumière dans l'obscurité automnale et hivernale, l'express côtier vient à quai à Svolvær. L'aurore boréale qui ondoie dans le ciel n'est pas moins splendide.

Byen Svolvær med vel 4000 innbyggere er Lofotens største befolkningskonsentrasjon.

The town of Svolvær, with its just over 4,000 inhabitants, is Lofoten's biggest population centre.

Die Stadt Svolvær weist mit ihren gut 4000 Einwohnern die größte Bevölkerungskonz entration des Lofot-Archipels auf.

La ville de Svolvær et ses 4 000 habitants constituent la concentration de population la plus forte des Lofoten.

Svolvær er fortsatt det mest sentrale fiskeværet under lofotfisket, det fjerde største fiskevær i Norge.

Svolvær is still the most important fishing village in Lofoten and is the fourth-largest fishing village in Norway.

Svolvær ist noch immer unbestritten der zentrale Anlandeplatz für Fisch während der großen Lofotfischerei, zugleich der viergrößte Fischereihafen Norwegens überhaupt.

Svolvær est toujours le premier port de pêche des Lofoten, et le quatrième de Norvège.

BACALAO

I sommermånedene strømmer turistene til Svolvær. Torghandel og uteservering foregår så å si på kaikanten.

During the summer months, tourists flock to Svolvær. Its marketplace and outdoor cafés are more or less on the quay edge.

In den Sommermonaten wimmelt es in Svolvær von Touristen. Warenhandel unter offenem Himmel und Getränkeausschank finden hier direkt am Kai statt.

Les touristes affluent à Svolvær pendant les mois d'été. Le marché et les terrasses des cafés empiètent plus ou moins sur les quais.

I over hundre år har Svolvær hatt en dragende virkning på billedkunstnere, og mange har slått seg ned her. Byen har flere gallerier.

For more than a century, Svolvær has attracted artists, and many have settled here. The town has several galleries.

Seit mehr als 100 Jahren hat Svolvær eine magnetische Anziehungskraft auf Maler ausgeübt. Viele von ihnen haben sich hier niedergelassen. Die Stadt hat mehrere Galerien.

Depuis plus d'un siècle, Svolvær attire les artistes, et beaucoup s'y sont installés. La ville possède plusieurs galeries.

Magic Ice

Gunnar Berg (1863-1893) er ett av de store navn i nordnorsk malerkunst. Han har fått sitt eget galleri i hjembyen Svolvær.

Gunnar Berg (1863-1893) is one of northern Norway's famous painters. A gallery selling his paintings is located in his home town of Svolvær.

Gunnar Berg (1863 –1893) ist einer der großen Namen in der nordnorwegischen Malerei. In seiner Heimatstadt hat man ihm ein eigenes Museum eingerichtet.

Gunnar Berg (1863-1893) est l'un des grands noms de la peinture du nord de la Norvège. Une galerie vendant ses œuvres se trouve dans sa ville natale, Svolvær.

Spiseri

Svolvær har hoteller og rorbuer, restauranter og kafeer i stort antall for å kunne ta imot turiststrømmen i den mest hektiske sommersesongen.

Svolvær has plenty of hotels, former fishermen's cabins now used for tourist accommodation, restaurants and cafés to cope with the flow of tourists during the hectic summer season.

Svolvær verfügt über eine große Anzahl von Hotels und Rorbuer („rorbu": ursprünglich eine einfache Übernachtungs- und Arbeitshütte für Fischer, nun – ausgebaut und stark modernisiert – ein bei Touristen beliebter, uriger Übernachtungsplatz), Restaurants und Cafés, die den Strom der Touristen auch in der hektischsten Sommersaison aufnehmen kann.

Svolvær dispose de nombreux hôtels et rorbu (anciennes cabanes de pêcheur sur pilotis rénovées en hébergement touristique), restaurants et cafés pour accueillir le flot des touristes au plus fort de l'été.

Den særegne fjellformasjonen Svolværgeita tiltrekker seg oppmerksomhet – og klatrere. Den første var oppe på toppen i 1910. De aller dristigste hopper fra det ene hornet til det andre.

Svolværgeita (the Svolvær Goat), is a distinctive mountain formation that attracts attention – and climbers. It was first climbed in 1910. The most daring climbers hop from one horn to the other.

Eine merkwürdige Felsformation über der Stadt, „Svolværgeit" („die Ziege von Svolvær") geheißen, zieht den Blick der Touristen – und die Kletterer – an. Die Erstbesteigung dieser Bergformation fand im Jahre 1910 statt. Die kühnsten Kletterer wagen selbst den Sprung von dem einen Horn der Ziege zum anderen.

Svolværgeita (la Chèvre de Svolvær) est une formation montagneuse particulière qui attire l'attention – et les grimpeurs. Le sommet fut atteint par l'un d'eux pour la première fois en 1910. Les plus audacieux sautent d'un pic à l'autre.

SMITH

Rafting, gummibåtsafari, spekkhoggersafari, kajakkturer, ridning, klatring og dykking er blant de aktiviteter Lofoten kan tilby turistene.

Rafting, inflatable-boat safaris, killer-whale safaris, kayak trips, riding, climbing and diving are among the activities Lofoten can offer tourists.

Rafting, Seesafari im Gummiboot, Schwertwal-Safari, Kajaktouren, Reiten, Klettern und Tauchen sind Herausforderungen, denen sich der Tourist in den Lofoten unterziehen kann.

Le rafting, les safaris en zodiac, les safaris à la découverte des orques, les excursions en kayak, l'équitation, l'escalade et la plongée sous-marine sont autant d'activités que les Lofoten peuvent offrir aux touristes.

På Ørsnes ligger to campingplasser i idyllisk lofotnatur.

Ørsnes has two campsites, located in idyllic Lofoten scenery.

Auf Ørsnes findet man zwei Campingplätze inmitten der idyllischen Lofotnatur.

Ørsnes dispose de 2 campings situés dans un cadre naturel enchanteur.

Kabelvåg med Storvågan var for tusen år siden sentrum for lofotfisket. I århundrer var dette Nord-Norges handelssentrum med landsdelens sterkeste befolkningskonsentrasjon. Museum, galleri, akvarium og feriestedet Nyvågar trekker i dag folk til det samme området.

Kabelvåg, including Storvågan, was Lofoten's fishing centre a thousand years ago. For centuries, this was northern Norway's trading centre and had the biggest population of any town in the district. Nowadays, a museum, gallery, aquarium and Nyvågar, a holiday site, attract people to the same area.

Kabelvåg und Storvågar waren vor 1000 Jahren das Zentrum für die Große Lofotfischerei. Jahrhundertlang waren diese Orte das große Handelszentrum Nordnorwegens mit der größten Bevölkerungskonzen tration dieses Landesteils. Museum, Aquarium und das Ferienzentrum Nyvågar ziehen auch in der Gegenwart viele Besucher an.

Kabelvåg, ainsi que Storvågan, était le centre de la pêche aux Lofoten il y a mille ans. Pendant des siècles, il fut le centre du commerce en Norvège du Nord et rassembla la plus importante population de la région. De nos jours, musée, galerie, aquarium et le lieu de villégiature Nyvågar attirent du monde dans le même secteur.

INNGANG

Akvariet i Storvågan med fisk, sel og havets vekster er en av Lofotens store attraksjoner.

The aquarium at Storvågan, with its fish, seals and ocean plants, is one of Lofoten's major attractions.

Das Meeresaquarium in Storvågan mit Fischen, Seehunden und allen möglichen anderem Getier und Pflanzen des Meeres ist eine der großen Attraktionen der Lofoten.

L'aquarium de Storvågan avec ses poissons, ses phoques et ses plantes marines, est l'une des grandes attractions des Lofoten.

Natur og mennesker i Lofoten setter sitt preg på mange av bildene til Espolin Johnson (1907-94). Han har fått sitt eget galleri i Storvågan.

Many of the paintings of Espolin Johnson (1907-94) depict the scenery and people of Lofoten. Storvågan has a gallery exhibiting and selling his paintings.

Natur und Mensch der Lofoten stehen zentral in vielen Bildern des Malers Espolin Johnsson (1907 – 1994). In Storvågan wurde für ihn ein eigenes Museum eingerichtet.

La nature et les gens des Lofoten inspirent de nombreuses toiles d'Espolin Johnson (1907-1994). Une galerie à Storvågan expose et vend ses œuvres.

Regionsmuseet for Lofoten ligger i Storvågan. Her fortelles Lofotens historie gjennom mer enn tusen år.

Lofoten's regional museum is located in Storvågan and tells of more than a thousand years of Lofoten history.

Das Regionsmuseum für die Lofoten liegt in Storvågan. Es erzählt dem Besucher die Geschichte der Lofoten durch mehr als 1000 Jahre.

Le Musée des Lofoten se trouve à Storvågan. Il y raconte l'histoire des Lofoten sur plus de mille ans.

KRYDDERIER
LOFOTLIV
kr. 150
UDSTILLING
1894
DIPLOM
Nidar

Væreierens praktfulle hus i Storvågan skilte seg sterkt ut fra den alminnelige fiskers bolig. Nå er den siste væreier borte og huset omgjort til museum. Den gamle krambua er bevart.

The squire's magnificent house in Storvågan was very different to those of the common fishermen. Now the last squire has gone and the house has been turned into a museum. The former country store has been preserved.

Die prachtvolle Villa des reichen Grundbesitzers von Storvågan unterschied sich stark von der bescheidenen Unterkunft eines gewöhnlichen Fischers. Nun ist diese Epoche vorüber, und die Villa wurde als Museum eingerichtet. Der alte Kramladen ist in seiner Ursprünglichkeit bewahrt.

La splendide demeure du seigneur-propriétaire de Storvågan se distingue nettement des habitations des simples pêcheurs. Maintenant, le dernier seigneur est parti, et sa demeure a été transformée en musée. L'ancienne boutique du village a été conservée.

I 1120 lot kong Øystein bygge rorbuer i Kabelvåg, Nord-Norges første tilløp til en by. Fortsatt er Kabelvåg et levende fiskevær, selv om enkelte brygger er gjort om til serverings- eller overnattingssteder.

In 1120, King Øystein allowed fishermen's cabins to be built in Kabelvåg, North Norway's first indications of a town. Kabelvåg is still a vital fishing village, although some of its quays have been turned into restaurants/cafés and overnight accommodation.

König Øystein ließ im Jahre 1120 Rorbuer in Kabelvåg bauen und schuf damit erstmals so etwas wie eine erste stadtähnliche Ansammlung von Häusern in Nordnorwegen. Noch immer ist Kabelvåg ein zentraler Landeplatz für Fisch, auch wenn auf einzelnen Landebrücken inzwischen Schenken oder Unterkünfte entstanden sind.

En l'an 1120, le roi Øystein fit construire des rorbu à Kabelvåg, prémices d'une ville en Norvège du Nord. Kabelvåg est toujours un port de pêche dynamique, même si certains quais sont devenus des lieux d'hébergement et de restauration.

Sagaen sier at kong Øystein lot oppføre kirke i Vågan, sannsynligvis i 1103. Kirkestedet fikk navnet Kapellvåg, senere Kabelvåg. Den nåværende kirke med 1200 sitteplasser ble innviet i 1898. Lofotkatedralen kalles den og er landets nest største trekirke.

According to the saga, King Øystein allowed a church to be built in Vågan, probably in 1103. The site of the church was called Kapellvåg, later Kabelvåg. The present church, called Lofoten Cathedral, can seat 1,200 people and was consecrated in 1898. It is Norway's second-largest wooden church.

Die norwegischen Königssagas erzählen uns, dass König Øystein in Vågan eine Kirche errichten ließ. Dies geschah wahrscheinlich im Jahre 1103. Dieser Ort erhielt den Namen Kapellvåg (deutsch: „Kapellenbucht"), später wurde daraus Kabelvåg. Die jetzige Kirche verfügt über 1200 Sitzplätze und wurde 1898 eingeweiht. Sie wird „Kathedrale der Lofoten" genannt und ist Norwegens nächstgrößte Holzkirche.

La saga dit que le roi Øystein fit ériger une église à Vågan, vraisemblablement en 1103. Ce lieu prit le nom de Kapellvåg, puis de Kabelvåg. L'église actuelle, qui peut accueillir 1 200 personnes, a été inaugurée en 1898. Surnommée la cathédrale des Lofoten, elle est la deuxième plus grande église en bois du pays.

Staten bygde i 1923 en del rorbuer i Kabelvåg. De er nå restaurert og tilbys turistene i kombinasjon med båtutleie. Fra dette gamle rorbumiljøet er det bare 50 meter ut til Lofothavet.

In 1923, the Norwegian state built some fishermen's cabins in Kabelvåg. These have now been restored and are rented out to tourists in combination with boat rental. This old fishermen's environment is located only 50 metres from the Lofoten Sea.

Der norwegische Staat baute 1923 eine Anzahl Rorbuer in Kabelvåg. Sie sind nun restauriert worden und können von Touristen gemietet werden, oft in Kombination mit Ausleihe von Booten. Von diesem Rorbu-Zentrum liegt das Lofot-Meer nur einige Schritte entfernt.

L'Etat norvégien a construit en 1923 une partie des rorbu de Kabelvåg. Aujourd'hui restaurés, ils sont proposés aux touristes en associant avec la location de bateaux. 50 m à peine séparent les anciens rorbu de la mer des Lofoten.

Av og til er det Lofotens tur til å arrangere det årlige ambulerende kyststevnet. Det ga en anelse av gamle dager da de bevaringsverdige trebåtene krysset utenfor Kabelvåg.

Now and then it is Lofoten's turn to arrange the annual coastal gathering. There was a touch of days gone by when the old wooden ships crossed the sea outside Kabelvåg.

Hin und wieder sind die Lofoten an der Reihe, um das alljährliche „Fest der norwegischen Küste" auszurichten. Dann ist es möglich, eine Ahnung vergangener Zeiten zu bekommen, wenn man auf die vor Kabelvåg kreuzenden Flotte historischer Boote blickt.

De temps à autre, il revient aux Lofoten d'organiser le rassemblement côtier annuel. Cela donne une idée des temps anciens où les bateaux en bois croisaient au large de Kabelvåg.

Over: Hurtigruta ved Lille Molla utenfor Svolvær. Til høyre: Nordgående og sørgående hurtigrute møtes utenfor Henningsvær. Under fjellene i bakgrunnen ligger Stamsund.

Above: The Coastal Express at Mt. Lille Molla outside Svolvær. Right: The northbound and southbound Coastal Express ships meet outside Henningsvær. At the foot of the mountains in the background lies Stamsund.

Oberes Bild: Die Hurtigrute bei Lille Molla vor Svolvær. Rechts: Zwei Hurtigruten-Schiffe, die eine auf Nord-, die andere auf Südkurs, begegnen sich vor Henningsvær. Unterhalb der Berge im Hintergrund liegt der Ort Stamsund.

En haut : l'express côtier près du mont Lille Molla au large de Svolvær. A droite : les express côtiers direction nord et direction sud se croisent au large de Henningsvær. Stamsund est blotti au pied des montagnes en arrière-plan.

TROLLFJORD

Henningsvær er ett av de mest sentrale vær under lofotfisket, med kort vei til noen av Lofotens beste fiskefelt.

Henningsvær is one of the most important Lofoten fishing villages, located only a short distance from some of Lofoten's best fishing grounds.

Henningsvær ist einer der allerwichtigsten Fischereibasen während der Großen Lofotfischerei. Von hier aus ist der Abstand sehr kurz zu mehreren der besten Fischgründe der Lofoten.

Henningsvær est l'un des principaux ports pour la grande pêche à la morue, situé à faible distance de l'une des meilleures zones de pêche des Lofoten.

HENNINGSVÆR
BRYGGEHOTEL

Fiskehjellene er synlige overalt i Henningsvær. Helt siden middelalderen er store mengder tørrfisk skipet herfra til middelhavslandene og Afrika.

Fish-drying racks are visible everywhere in Henningsvær. Ever since the Middle Ages, large amounts of stockfish have been shipped from here to the Mediterranean and Africa.

Die mächtigen Trockenstative für den Stockfisch dominieren überall das Dorfbild von Henningsvær. Seit dem Mittelalter wurden von hier aus große Mengen von diesem luftgetrockneten Dorsch in die Mittelmeerländer und nach Afrika verschifft.

Les séchoirs à poisson sont visibles partout à Henningsvær. Depuis le Moyen Age, d'importantes quantités de poissons séchés sont expédiées vers les pays méditerranéens et l'Afrique.

”Nordens Venezia” kaller man Henningsvær. Bebyggelsen ligger på små øyer og holmer, skjermet av moloer og bundet sammen med bruer.

Henningsvær is called the Venice of the North. Its buildings are located on small islands and holms, sheltered by harbour dams and linked together by bridges.

„Venedig des Nordens“ hat man Henningsvær genannt. Die Siedlung liegt über viele kleine Inseln und Holme verstreut, die durch Brücken untereinander verbunden und durch ein System von Molen vor den Meereswogen geschützt sind.

Henningsvær est surnommée la « Venise du Nord ». Les habitations sont construites sur de petits îlots et des récifs, protégés par des digues et reliés par des ponts.

Galleri Lofotens Hus i Henningsvær med Frank A. Jenssen som eier og daglig leder, har landets største samling av malerier med motiv fra Lofoten i tiden omkring århundreskiftet 1800-1900 og unike fotografier fra lofotfisket på begynnelsen av 1900-tallet.

Galleri Lofotens Hus in Henningsvær has Norway's biggest collection of Lofoten paintings from around the end of the 19th century and unique photographs of Lofoten fishing at the beginning of the 20th century.

Die Kunstgalerie „Lofotens Hus" in Henningsvær besitzt die größte Sammlung an Bildern mit Motiven von den Lofoten in der Zeit um die Wende vom 19. zum 20. Jahrhundert, Dazu kommen einzigartige Photographien von der Großen Lofotfischerei aus der Zeit nach 1900.

La galerie Lofotens Hus à Henningsvær possède la plus grande collection de peintures du pays sur le thème des Lofoten remontant à la fin du XIXème siècle, et des photographies uniques de la pêche aux Lofoten du début du XXème siècle.

I billedgalleriet kan man se Gunnar Bergs maleri fra Lofoten i eldre tid. På kaikanten kan man nyte servering og synet av Henningsvær i dag.

In the gallery can be seen Gunnar Berg's painting of Lofoten in the old days. On the quayside, you can enjoy refreshments and watch Henningsvær's everyday life.

In der Kunstgalerie sind Gunnar Bergs Bilder mit Motiven von den Lofoten aus älterer Zeit zu sehen. Auf dem Kai davor wird Essen und Trinken serviert. Das moderne Henningsvær bildet dazu eine wirkungsvolle Kulisse.

La galerie expose des toiles de Gunnar Berg inspirées des Lofoten aux temps anciens. Sur les quais, il est possible de se restaurer en profitant du spectacle de la vie quotidienne à Henningsvær.

Maleren Karl Erik Harr har også galleri i Lofotens Hus i Henningsvær. Lofotnaturen, havet og fiskeriene har vært inspirasjonskilde.

Galleri Lofotens Hus in Henningsvær exhibits and sells paintings by Karl Erik Harr, a famous Norwegian painter. The Lofoten scenery, sea and fishing industry have been his sources of inspiration.

Auch der Maler Karl Erik Harr hat eine feste Abteilung in der Kunstgalerie „Lofotens Hus“. Seine Inspirationsquellen sind die Natur, das Meer und die Fischerei der Lofoten.

La galerie Lofoten Hus à Henningsvær expose et vend les tableaux de Karl Erik Harr, grand nom de la peinture norvégienne. La nature, la mer et les pêcheries sont ses principales sources d'inspiration.

Fiskekrogen fiskerestaurant har etablert seg med inne- og uteservering i et tidligere fiskebruk ved Heimsundet, selve den maritime livsnerve gjennom Henningsvær.

The Fiskekrogen fish restaurant, which is located in a former fish-processing plant at Heimsundet, Henningsvær's maritime centre, serves food both indoors and outdoors.

Das Fischrestaurant „Fiskekrogen“ residiert an einer früheren Landebrücke für Fisch am Heimsund. Dieser Sund, der durch Henningsvær durch führt, ist der maritime Lebensnerv dieser Fischereisiedlung schlechthin.

Le restaurant de poisson Fiskekrogen, qui s'est installé dans une ancienne usine de transformation du poisson à Heimsundet, le centre maritime de Henningsvær, sert à l'intérieur et en terrasse.

Gimsøy er vendt ut mot storhavet, og der, i strandkanten, har Lofoten Golfklubb anlagt en bane som på en spesiell måte kombinerer sports- og naturopplevelse. Slår været til, kan man spille golf her i solskinn 24 timer til ende.

Gimsøy faces the ocean and, at the edge of the beach, Lofoten Golf Club allows you to combine this sport with a special nature experience. If the weather is good, you can play golf here in the sunshine for 24 hours at a stretch.

Von der Insel Gimsøy blickt man weit hinaus aufs offene Nordmeer. Auf der Strandzone hat der Golfklub Lofoten seine Anlage. Sport- und Naturerlebnisse greifen dabei auf eine ganz spezielle Weise ineinander. Mit etwas Wetterglück kann man hier 24 Stunden lang im Sonnenschein Golf spielen.

Gimsøy est tournée vers le grand large, et au bord de la plage, le club de golf Lofoten Golfklubb propose un parcours qui associe de manière originale sensations sportives et expérience unique de la nature. Si le temps le permet, on peut jouer au golf sous les rayons du soleil pendant 24 heures d'affilée.

Stamsund er Lofotens viktigste fiskevær, med en av Nord-Norges største trålerflåter i tillegg til sesong- og helårsfiske i de nære farvann.

Stamsund is Lofoten's most important fishing village and has one of North Norway's biggest fleets of trawlers, in addition to seasonal and all-year-round fishing boats which fish in the more adjacent waters.

Stamsund ist die wichtigste Fischereisiedlung der Lofoten. Hier liegt eine der größten Trawlerflotten Nordnorwegens (Hochseefischerei). Hinzu kommt die Saison- und ganzjährige Fischerei in den küstennahen Gewässern.

Stamsund est le port de pêche le plus important des Lofoten, avec l'une des plus grandes flottilles de chalutiers de la Norvège du Nord, en plus des bateaux de pêche annuels et saisonniers qui pêchent dans les eaux environnantes.

En væreierfamilie eide hele Stamsund og var den drivende kraft bak all virksomhet inntil en konkurs i 1990 truet stedets eksistens. I den dypeste krise ble det satset på kultur og reiseliv. Det har gitt overraskende god uttelling.

One landowning family owned the whole of Stamsund and was the driving force behind all the business there until a bankruptcy in 1990 threatened the village's existence. Faced with this crisis, the village invested in culture and tourism, and these have been surprisingly profitable.

Ganz Stamsund war bis vor kurzem im Besitz einer einzelnen Familie. Sie war auch der primus motor hinter aller wirtschaftlichen Aktivität, bis 1990 ein Konkurs die Existenz des Ortes bedrohte. In dieser fundamentalen Krise wählte man neue Horizonte: Kultur und Tourismus rückten in den Mittelpunkt. Diese Politik hat überraschend gute Ergebnisse gezeitigt.

Une seule famille de propriétaires fonciers possédait la totalité de Stamsund et était la force agissante à l'origine de toutes les activités, jusqu'à ce qu'une faillite en 1990 menace l'existence du village. Confronté à cette crise, le village misa sur la culture et le tourisme. Cette décision fut couronnée de succès au-delà des espérances.

I tillegg til å være et levende fiskevær, har Stamsund alle de miljømessige kvaliteter som år etter år trekker tusener på tusener til Lofoten.

In addition to being a vital fishing village, Stamsund has all the environmental qualities that attract thousands of tourists to Lofoten each year.

Zum Ambiente eines aktiven Fischereistützpunktes hat Stamsund alle Vorteile der naturschönen Umgebung auf seiner Seite. Dies zusammen zieht Jahr nach Jahr Abertausende von Touristen zum Lofot-Archipel.

En plus d'être un port de pêche dynamique, Stamsund possède toutes les qualités environnementales qui attirent, chaque année, des milliers de touristes aux Lofoten.

Borge kirke er synlig på lang avstand. I førkristen tid var høvdingsetet på Borg det iøynefallende landemerket her. Høvdingsetet er rekonstruert på grunnlag av arkeologiske utgravinger, og i gjenoppbygd stand er det blitt en av Lofotens største turistattraksjoner.

Borge church is visible from far away. In pre-Christian times, the chieftain's house at Borg was the striking landmark in this area. The chieftain's house has been reconstructed on the basis of archaeological digs and has become one of Lofoten's greatest tourist attractions.

Die Kirche von Borge kann man schon von weitem sehen. In vorchristlicher Zeit war Borg die Residenz eines dominierenden Geschlechts und eine auffallende Landmarke. Dieser alte Wohnsitz ist auf Grundlage von archäologischen Ausgrabungen rekonstruiert und wieder aufgebaut worden. Borg ist nun eine der größten touristischen Attraktionen der Gegend.

L'église de Borge est visible de loin. Pendant l'ère préchrétienne, l'immense demeure de chef de tribu de Borg était le point de repère marquant de la région. L'ensemble des bâtiments a été reconstruit sur la base de fouilles archéologiques et, parfaitement restauré, est devenu l'une des principales attractions touristiques des Lofoten.

Høvdingsetet på Borg ble bygd omkring 500 e. Kr. Etter den siste utvidelse på 700-tallet hadde hovedhuset en lengde på 83 meter og er dermed den største bygningen man kjenner fra jernalderen i Norden. Borg ble forlatt omkring år 950, av ukjent grunn.

The chieftain's house at Borg was built in around 500 AD. Following the last extension in the 8th century, the main house was around 83 m long, making it the biggest known Iron Age building in the Nordic region. Borg was abandoned in around 950 AD for reasons that are unknown.

Der Häuptlingssitz Borg wurde um 500 n.Chr. gebaut. Nach der letzten Erweiterung im 8. Jahrhundert besaß das zentrale Gebäude eine Länge von 83 m. Es war damit das größte Gebäude der skandinavischen Eisenzeit. Borg wurde als Wohnsitz um das Jahr 950 herum aufgegeben, man weiß nicht, warum.

La demeure de chef de tribu de Borg a été bâtie vers 500 après J.-C. Après la dernière extension réalisée au VIIIème siècle, l'habitation principale mesurait 83 m de long, ce qui en fait le plus grand bâtiment connu de l'âge de fer dans les pays nordiques. Borg a été abandonné vers l'an 950 pour des raisons inconnues.

Man treffer fortsatt vikinger på Borg, både til fots og til hest. På markene beiter dyr av gammel rase som villsvin, ursau og nordlandshest.

You can still meet Vikings at Borg, both on foot and horseback. Ancient animal races such as wild pigs, wild sheep and Nordland horses graze in the fields.

Noch immer kann man auf Borg Wikingern begegnen, die sich zu Fuß und reitend fortbewegen. Auf den Weiden grasen Haustiere der alten norwegischen Rassen: Wildschweine, mittelalterliche Schafe und das Nordlandpferd.

On rencontre toujours des vikings à Borg, à pied et à cheval. Des animaux de races anciennes comme le sanglier, le mouton et le nordlandshest (poney) paissent dans les prés.

En tro kopi av Gokstadskipet hører til Lofotr vikingmuseum på Borg.

The Lofotr Viking Museum at Borg contains a true copy of the Gokstad ship.

Zum Wikingermuseum „Lofotr“ auf Borg gehört eine genaue Kopie des berühmten „Wikingerschiffes von Gokstad“.

Une copie fidèle du drakkar de Gokstad est exposée au musée viking Lofotr à Borg.

Mortsund med Leknes i bakgrunnen. Ett av de små fiskeværene som med stort hell har satset på rorbuturisme.

Mortsund with Leknes in the background. One of the small fishing villages whose fishermen's cabin tourism efforts have been a great success.

Der Ort Mortsund mit Leknes im Hintergrund. Es sind dies kleine Fischereisiedlungen, die mit sehr gutem Ergebnis das Konzept „Rorbu-Tourismus" realisiert haben.

Mortsund avec Leknes en arrière-plan. L'un des plus petits ports de pêche qui a misé, avec beaucoup de succès, sur le tourisme en rorbu.

En spesiell attraksjon i Ballstad er Lofoten-kunstneren Scott Thoes gigantmalerier som dekker tre av fire vegger ved Ballstad Slip. Det største måler 54x22 m og har fått betegnelsen ”verdens største veggmaleri”.

One of Ballstad’s special attractions is Lofoten artist Scott Thoe’s giant paintings, which cover three of the four walls at Ballstad Slip. The biggest one measures 54m x 22m and has been called the “world’s biggest wall painting”.

Eine ganz besondere Attraktion in Ballstad sind die Gigantmalereien des Lofot-Künstlers Scott Thoes. Sie decken drei der vier Wände eines Gebäudes der Ballstad Werft. Das größte Gemälde misst 54 x 22 m und hat die Bezeichnung „größte Wandmalerei der Welt“ erhalten.

L’une des curiosités de Ballstad réside dans les peintures géantes de l’artiste Scott Thoes, qui couvrent trois des quatre murs de Ballstad Slip. La plus grande mesure 54 x 22 m et a été qualifiée de « plus grande peinture murale au monde ».

Gravdal er en av de større befolkningskonsentrasjoner i Lofoten med over 2000 innbyggere. Kirkested siden 1324. Nåværende Buksnes kirke i drakestil ble tatt i bruk i 1905.

Gravdal is one of Lofoten's major population centres, with more than 2,000 inhabitants. It has been a church site since 1324. The current Buksnes church, built in the "Dragon" architectural style, was consecrated in 1905.

Der Ort Gravdal ist eine weitere wichtige Siedlung auf den Lofoten mit über 2000 Einwohnern. Er besitzt seit 1324 eine Kirche. Das Besondere der jetzigen Kirche (die Kirche von Buksnes) ist, dass sie in dem sog. „Drachenstil" erbaut wurde. Eingeweiht wurde sie im Jahre 1905.

Gravdal est l'une des concentrations de population les plus importantes des Lofoten avec plus de 2 000 habitants. C'est une localité dotée d'une église depuis 1324. L'actuelle église de style viking de Buksnes a été inaugurée en 1905.

Leknes med omkring 1900 innbyggere har bystatus, som administrasjonssted for Vestvågøy kommune og vitalt kjøpesenter for et større område. Leknes havn er den fjerde største cruisehavna i Norge, med ca. 70 anløp i året.

Leknes, which has a population of around 1,900, has the status of a town since it is the administrative centre of Vestvågøy municipality and a vital shopping centre for a large area. Leknes harbour is the fourth-largest cruise harbour in Norway, with around 70 ships calling into port each year.

Der Ort Leknes hat mit seinen etwa 1900 Seelen Stadtrecht. Er ist der administrative Mittelpunkt für die Gemeinde Vestvågøy und ein wichtiges Handelszentrum für die weitere Umgebung. Leknes ist der viertgrößte Hafen Norwegens im Bereich touristischer Kreuzfahrten. Etwa 70 Anläufe von Kreuzfahrtschiffen pro Jahr werden hier verzeichnet.

Leknes, peuplée de 1 900 habitants environ, a le statut de ville, puisqu'elle est le centre administratif de la commune de Vestvågøy et qu'elle constitue un centre commercial vital pour une vaste région. Le port de Leknes est le quatrième port de croisière de Norvège, avec environ 70 escales par an.

Jtenfor Leknes sentrum ligger flyplassen. Inne i sentrum finner nan flere bygninger med rik kunstnerisk utsmykking.

The airport is located outside Leknes. The town centre has several ichly decorated buildings.

Unweit vom Zentrum Leknes liegt der Flughafen. Der Ortskern selbst hat mehrere Gebäude mit einer reichen künstlerischen Ausschmückung.

L'aéroport se trouve à l'extérieur de Leknes. Le centre de la ville recèle plusieurs bâtiments richement décorés.

Nusfjord er ett av landets best bevarte fiskevær. En del av bebyggelsen er fra 1700-tallet, mye fra 1800-tallet. Under det europeiske naturvernåret 1975 ble Nusfjord av UNESCO utpekt som ett av tre pilotprosjekter i Norge for bevaring av eldre trehusbebyggelse.

Nusfjord is one of Norway's best-preserved fishing villages. Some of its buildings date back to the 18th century and many were built in the 19th century. In 1975, which was European Nature Protection Year, Nusfjord was chosen by UNESCO as one of three pilot projects aimed at preserving old wooden buildings in Norway.

Das Dorf Nusfjord ist einer der am unmittelbarsten bewahrten alten Fischereistützpunkte Norwegens. Ein Teil der Bausubstanz stammt aus dem 18. Jahrhundert, vieles andere datiert aus dem 19. Jahrhundert. Im Rahmen des Europäischen Jahres für Naturschutz 1975 wurde Nusfjord von der UNESCO für eines der drei norwegischen Pilotprojekte zur Bewahrung von alten Holzhäusern ausgewählt.

Nusfjord est l'un des ports de pêche les mieux préservés du pays. Une partie des habitations date du XVIIIème siècle et beaucoup du XIXème siècle. En 1975, Année européenne de protection de la nature, Nusfjord a été choisi par l'UNESCO comme l'un des trois projets pilote pour la conservation d'anciennes constructions en bois en Norvège.

På Vikten, ut mot storhavet, ligger Glasshytta. Her har glasskunstneren Åsvar Tangrand verksted og utsalg i en bygning som er verdt et besøk i seg selv.

At Viken, near the sea, lies the Glassblower's Cabin (Glasshytta). This is where glassblower Åsvar Tangrand has a workshop and shop in a building that is itself worth a visit.

Bei der Niederlassung Vikten, mit einem grandiosen Blick auf das offene Nordmeer, finden wir die Glasbläserei Glashytta. Hier arbeitet der Glaskünstler Åsvar Tangrand und verkauft seine Schöpfungen. Sein Atelier ist in einem Gebäude untergebracht, das an sich schon einen Besuch verdient.

A Vikten, près de la mer, se trouve la soufflerie de verre, « Glasshytta ». C'est là que le souffleur de verre Åsvar Tangrand a son atelier et vend ses créations dans un local qui vaut à lui seul la visite.

Under den 866 meter høye Stortinden ligger Ramberg, administrativt sentrum i Flakstad kommune. En praktfull, hvit sandstrand hører til Rambergs herligheter. På Flakstad ligger soknets kirke, oppført ca. 1780.

Under the 866-m-high Mt. Stortinden lies Ramberg, the administrative centre of Flakstad municipality. One of Ramberg's attractions is its wonderful white beach. The parish church, which was built in around 1780, is located at Flakstad.

Unter dem 866 m hohen Berggipfel Stortinden liegt der Ort Ramberg, das Verwaltungszentrum der Gemeinde Flakstad. Eine der großen Sehenswürdigkeiten der Gemeinde Ramberg ist der prachtvolle, strahlendweiße Sandstrand. Auf der Insel Flakstad liegt die Kirche des Sprengels. Sie datiert aus der Zeit um 1780.

Ramberg, centre administratif de la commune de Flakstad, se trouve au pied des 866 m du mont Stortinden. Parmi les beautés de Ramberg, on compte une magnifique plage de sable blanc. L'église de la paroisse, édifiée vers 1780, se trouve à Flakstad.

Fredvang helt nord på Moskenesøya er den største jordbruksbygda i Flakstad kommune, men hele fire fiskebruk på det lille stedet forteller hva som er hovednæringen. Campingplass og sandstrender gjør turisme til en viktig attåtnæring.

Fredvang, at the northern tip of the Moskenesøya island, is the largest agricultural village in the Flakstad municipality, but its four fish-processing plants indicate what its main industry is. A campsite and sandy beaches make tourism an important additional industry.

Fredvang auf dem nördlichsten Ende der Insel Moskenesøya ist das größte landwirtschaftliche Zentrum der Gemeinde Flakstad. Aber nicht weniger als vier Fabriken für Veredlung von Fischprodukten machen deutlich, was der wichtigste Ernährungszweig ist. Der Campingplatz und die Sandstrände impulsieren sehr stark den Tourismus, der damit zu einer wichtigen zusätzlichen Erwerbsquelle der Bewohner geworden ist.

Fredvang, situé tout au nord de l'île de Moskenes, est le plus grand village agricole de la commune de Flakstad, mais les quatre pêcheries du lieu rappelle la première source de revenu. Le camping et les plages de sable font du tourisme une source importante de revenu supplémentaire.

Hvert år besøker 20.000 fiskerimuseet i Sund. Den største attraksjonen er Hans Gjertsens kunstsmie, hvor kongeskarven er den store merkevare. Galleri Ambolten viser både skarver og andre smijernsprodukter fra Gjertsens og Tor Vegard Mørkveds hånd.

Each year, 20,000 people visit the fisheries museum at Sund. The biggest attraction is Hans Gjertsen's smithy, where iron cormorants are the most popular sales product. Galleri Ambolten sells both cormorants and other wrought-iron products made by Hans Gjertsen and Tor Vegard Mørkved.

Das Fischereimuseum von Sund kann jedes Jahr 20.000 Besucher verzeichnen. Die größte Anziehungskraft übt die Kunstschmiede von Hans Gjertsen aus. Hier ist der Kormoran das große Wahrzeichen. Die Galerie „Ambolt“ zeigt sowohl ihn als auch andere schmiedeiserne Schöpfungen aus der Hand Gjertsens und seines Kollegen Tor Vegard Mørkved.

Chaque année, 20 000 personnes visitent le musée des pêcheries de Sund. La principale curiosité est la forge de Hans Gjertsen, réputé pour ses cormorans de fer forgé. La galerie Ambolten vend des cormorans et d'autres objets en fer forgé, réalisés à la main par Hans Gjertsen et Tor Vegard Mørkved.

Hamnøy og Sakrisøy, med Reine i bakgrunnen. Bruer knytter en egen øyverden sammen på Moskenesøya.

Hamnøy and Sakrisøy, with Reine in the background. Bridges link this island world together at Moskenesøya Island.

Die Inseln Hamnøy und Sakrisøy mit dem Ort Reine im Hintergrund. Auf der Insel Moskenesøy lässt ein System von Brücken eine integrierte Inselwelt entstehen.

Hamnøy et Sakrisøy, avec Reine en arrière-plan. Des ponts relient ce réseau d'îles à l'île de Moskenes.

Den lune, naturskapte havna har gitt Hamnøy navn. Her finner man et lett tilgjengelig fuglefjell. Rundt om står en rad av enda mektigere fjell.

The sheltered natural harbour has given Hamnøy (Harbour Island) its name. Here you can find an easily accessible nesting cliff, surrounded by a row of even higher peaks.

Der Ort Hamnøy (deutsch: „Hafeninsel“) verdankt seinen Namen dem naturgeschaffenen, äußerst beschützten Hafen. Hier kann man greifbar nahe einen Vogelfelsen (Nistplatz von Seevögeln) studieren. Hamnøy ist umgeben von einer Kulisse eindrucksvoller Berge.

Le port naturel abrité a donné son nom à Hamnøy (l’île du port naturel). Là se trouve une falaise abritant des colonies d’oiseaux de mer facile d’accès, entourée d’un rangée de montagnes encore plus grandioses.

Sakrisøy er et fiskevær i det lille format, en idyll i miniatyr plassert i en majestetisk natur. Fersk sjømat og antikviteter frister veifarende til en stopp.

Sakrisøy is a small fishing village, a miniature idyll located in majestic scenery. Fresh seafood and antiques tempt travellers to stop.

Sakrisøy ist ein Fischerstützpunkt in Kleinformat, ein Miniaturidyll in einer heroischen Landschaft. Der Besucher kann hier frische Meeresfrüchte kosten und sollte einen Blick auf die zum Verkauf angebotenen Antiquitäten werfen.

Sakrisøy est un port de pêche miniature idyllique, situé au cœur d'une nature majestueuse. La fraîcheur des produits de la mer et les antiquités valent la peine de s'y arrêter.

Dagmars Dukke- og Leketøymuseum på Sakrisøy har Norges første og største samling av dukker og leker ikke bare fra Lofoten, men fra hele landet. Museet med et par tusen gjenstander er blitt en stor attraksjon.

Dagmar's Doll and Toy Museum (Dukke- og Leketøymuseum) at Sakrisøy has Norway's first and biggest collection of dolls and toys, not only from Lofoten but from all over the country. With its couple of thousand objects, this has become a major attraction.

„Dagmars Puppen- und Spielzeugmuseum" auf Sakrisøy beherbergt die erste und größte Sammlung von Puppen und Spielzeug, nicht nur in den Lofoten, sondern aus dem ganzen Land. Mit seinen mehreren Tausend Exponaten ist dieses Museum inzwischen eine große Attraktion geworden.

Le musée des poupées anciennes et des jouets de Dagmar à Sakrisøy rassemble la plus grande collection de poupées et de jouets non seulement des Lofoten mais de tout le pays. Avec plus de 2 000 objets exposés, le musée est assurément une curiosité à voir.

Kjerkfjorden (t.v.) er en av de mange fjorder som skjærer seg inn i landskapet på Moskenesøya. Mange billedkunstnere har latt seg inspirere av de ville fjellformasjonene som isen skapte for tusener av år siden.

The Kjerk Fjord (left) is one of the many fjords that cut into the landscape on the island of Moskenesøya. Many artists have been inspired by the wild mountain formations created by ice thousands of years ago.

Der Kjerkfjord (links) ist einer der zahlreichen Fjorde, die sich in die Küstenlinie der Insel Moskenesøy eingeschnitten haben. Viele Künstler haben sich durch die wilden Bergformationen inspirieren lassen, die hier das Eis vor Tausenden von Jahren geschaffen hat.

Kjerkfjord (à gauche) est l'un des nombreux fjords qui s'insinuent dans le paysage de l'île de Moskenes. Beaucoup d'artistes se sont inspirés des formations rocheuses que la glace a sculptées il y a des milliers d'années.

Reine byr på alle de ingredienser av natur og miljø man forbinder med en skikkelig rorbuferie i Lofoten.

Reine can offer all the scenic and environmental ingredients associated with a real fisherman's cabin holiday in Lofoten.

Reine vereint im Übermaß alle Zutaten der Natur und des Ambientes, die für zünftige Rorbu-Ferien auf den Lofoten unabdinglich sind.

Reine offre tous les ingrédients naturels que l'on associe à des vacances en rorbu réussies dans les Lofoten.

Til venstre: Norsk Telemuseum i Sørvågen minner om den helt spesielle plass stedet har hatt under utprøving av nye oppfinnelser innen telegraf- og telefonsamband. Øverst: Moskenes med fergeforbindelse til Bodø og til Værøy og Røst.

Left: The Norwegian Telegraph Museum in Sørvågen is a reminder of the special role this town has played in the testing of new telegraph- and telephone-connection inventions. Top: Moskenes, with its ferry connections to Bodø, Værøy and Røst.

Links: Das „Norwegische Museum für Telekommunikation“ in Sørvågen erinnert daran, welch ganz speziellen Platz dieser Ort während der Erprobung neuer Erfindungen innerhalb der Telephonie und Telegraphie innehatte.
Oben: Moskenes mit Fährenverbindungen nach Bodø, Værøy und Røst.

A gauche : le musée norvégien du télégraphe (Norsk Telemuseum) de Sørvågen explique le rôle particulier que la ville a joué lors des premiers essais du télégraphe et du téléphone. En haut : Moskenes avec une liaison en ferry vers Bodø, Værøy et Røst.

Å er det sørligste fiskeværet på Moskenesøya. Her slutter E 10.

Å is the most southerly fishing village on the island of Moskenesøya. The E 10 road ends here.

Die Ortschaft Å ist das südlichste Fischereidorf auf der Insel Moskenesøy. Hier endet auch die Europastraße E10.

Å est le port de pêche le plus méridional de l'île de Moskenes. C'est là que finit la E 10.

BAKERI
SERVICE
Mat

Norsk Fiskerimuseum og Lofoten Tørrfiskmuseum på Å forteller ikke bare lokal historie, men historien om en av landets viktigste næringer gjennom mer enn 1000 år. De små rorbuene og den store væreiergården er viktige elementer i denne historie.

The Norwegian Fisheries Museum and Lofoten Stockfish Museum at Å tell not only of local history but also of the history of one of the country's most important industries for more than 1,000 years. The small fishermen's cabins and large squire's farm are important elements of this history.

Das „Norwegische Fischereimuseum" und „Lofotens Stockfischmuseum" in Å stellen nicht nur lokale Geschichte dar, sondern widerspiegeln zugleich die Geschichte eines der wichtigsten Ernährungszweige Norwegens im Zeitraum von mehr als 1000 Jahren. Die armseligen Rorbuer der Fischer auf der einen und die herrschaftlichen Villen der schwerreichen Fischbarone und Grundbesitzer auf der anderen Seite sind wichtigste Elemente innerhalb dieser Geschichte.

Le musée des pêcheries et le musée du stockfisch à Å racontent l'histoire locale mais aussi l'histoire de l'une des industries majeures du pays sur plus de 1 000 ans. Les petits rorbu et l'imposante demeure du seigneur-propriétaire sont des éléments essentiels de cette histoire.

17 km sørvest for Lofotodden ligger Værøy. I 5000 år har fisken og de enorme fugleansamlingene i fjellene gitt grunnlag for bosetting. Værøy og nabokommunen Røst er i dag blant Norges mest produktive samfunn, målt i eksportverdi per innbygger. Her produseres tørrfisk, saltfisk og sild i store mengder.

17 km south-west of Lofotodden lies the island of Værøy. For 5,000 years, the fish and enormous bird colonies in the mountains have provided a basis for human settlement here. Værøy and its neighbouring municipality, Røst, are today among Norway's most productive societies measured in export value per inhabitant. Stockfish, salt fish and herring are produced here in large quantities.

17 km südwestlich der Landspitze Lofotodden liegt die Insel Værøy. Seit 5000 Jahren haben hier der Fisch und die Brutplätze ungeheurer Ansammlungen von Seevögeln die Basis der Besiedelung abgegeben. Værøy und die Nachbargemeinde Røst finden wir unter Norwegens produktivsten Gemeinden, wenn man vom Exportwert an Waren per Kopf Einwohner ausgeht. Hier wird Stock- und Klippfisch hergestellt und Hering in großen Mengen veredelt.

A 17 km au sud-ouest de Lofotodden, se trouve l'île de Værøy. Pendant 5 000 ans, le poisson et les immenses colonies d'oiseaux dans les montagnes ont favorisé les implantations. Værøy et la commune voisine Røst font aujourd'hui partie des communautés les plus productives de Norvège, en termes de valeur à l'exportation par habitant. C'est là que sont produits le poisson séché, le poisson salé et le hareng en grandes quantités.

Mellom Skumvær og Røst ligger øygruppen Nykene som en del av de 365 øyer Røst kommune består av, en av landets minste med ca. 650 innbyggere. Her som mange andre steder i Lofoten finner man forlatte hus og kondemnerte båter. Men Røst har så absolutt en framtid, med Nordland fylkes yngste befolkning og imponerende eksporttall.

Between Skumvær and Røst lie the Nykene islands. These form part of the 365 islands in the Røst municipality, which is one of Norway's smallest municipalities, with only around 650 inhabitants. Here, as in many other places in Lofoten, are to be found abandoned houses and scrapped boats. But Røst definitely has a future, with Nordland County's youngest population and impressive export figures.

Zwischen Skumvær und Røst liegt die Inselgruppe Nykene. Sie macht einen Teil der Inselwelt der Gemeinde Røst aus, die aus 365 Inseln und Schären besteht. Mit zirka 650 Einwohnern ist sie eine der kleinsten Kommunen Norwegens. Hier, wie auch an vielen anderen Orten der Lofoten, findet man verlassene Häuser und aufgegebene Boote. Aber Røst hat unbedingt eine Zukunft vor sich: es beherbergt die jüngste Bevölkerungsgruppe in der Provinz Nordland und imponiert durch seinen starken Export von Waren.

L'archipel de Nykene se situe entre Skumvær et Røst ; il compte parmi les 365 îles qui composent la commune de Røst, l'une des plus petites du pays avec 650 habitants. Ici, comme dans beaucoup d'endroits aux Lofoten, on trouve des maisons et des bateaux abandonnés. Mais Røst a sans conteste un avenir, avec la population la plus jeune du département de Nordland et des exportations impressionnantes.

Lofoten har et rikt og variert fugleliv, med store mengder alke, lomvi, skarv, måse og krykkje, og en av verdens største havørnbestander. Omkring 2,5 millioner fugl holder til i fuglefjellene på Værøy og Røst med tilhørende øyer. Ca. en million av disse er lundefugl.

Lofoten has a rich, varied bird life, with large numbers of razorbills, common guillemot, cormorant, seagulls and kittiwakes, and one of the world's largest populations of sea eagles. Around 2.5 million birds live in the bird colonies at Værøy and Røst and their surrounding islands. Approximately one million of these are puffins.

Die Lofoten beherbergen ein reiches und vielfältiges Vogelleben. Hier finden wir den Biotop von großen Mengen von Tordalken, Trottellummen, Krähenscharben, Möwen aller Art, vor allem Dreizehenmöwen. Hinzu kommt, dass hier einer der weltgrößten Bestände von Seeadlern horstet. In den enormen Vogelfelsen von Værøy, Røst und den umliegenden Inseln brüten etwa 2,5 Mio. Seevögel. Davon sind etwa 1 Mio. Papageientaucher.

Les Lofoten accueille une faune d'oiseaux riche et variée, avec d'importantes colonies de pingouins, de guillemots, de cormorans, de mouettes et de mouettes tridactyles, et l'une des populations d'aigles de mer les plus importantes au monde. Près de 2,5 millions d'oiseaux vivent en colonies sur les falaises de Værøy et Røst et des îles environnantes. Environ un million d'entre eux sont des macareux.

Utgiver og distribusjon:
To-Foto AS, Postboks 76, 9481 Harstad, Norway
www.tofoto.no - email:post@tofoto.no
Tlf: 77 04 06 00 - Fax: 77 04 06 25

Fotografer:
Bjørn Rasch Tellefsen
Tommy Simonsen

Noen bilder utlånt fra: Bjørn Kirkhaug, Galleri Espolin og Scott Thoe

Omslag og bokdesign: Roar Edvardsen
Tekst: Malvin Karlsen

ISBN: 978-82-995-5013-0